Nick

la main froide

François Tardif

Nick
la main froide

ÉPISODE 3
LES ESPIONS

Illustrations de Michelle Dubé

Les éditions
du petit monde

Les éditions du petit monde
2695, place des Grives
Ste-Rose, Laval
Québec H7L 3W4
450-622-7306
www.leseditionsdupetitmonde.com
www.nicklamainfroide.com
Francois.Tardif@leseditionsdupetitmonde.com

Correction et révision linguistique : Carole Leroy

Conception graphique : Olivier Lasser

Illustrations : Michelle Dubé

Dépôt légal,
Bibliothèque nationale du Québec, 2007

**Catalogage avant publication de Bibliothèque et Archives
nationales du Québec et Bibliothèque et Archives Canada**

Tardif, François, 1958-

Les espions

(Nick la main froide)
"Épisode 3"
Pour les jeunes.

ISBN 978-2-923136-03-5

I. Dubé, Michelle, 1983- . II. Titre. III. Collection : Tardif,
François, 1958-   . Nick la main froide.

PS8589.A836E86 2007   jC843'.6   C2007-940876-1
PS9589.A836E86 2007

FRANÇOIS TARDIF est né le 17 août 1958 à Saint-Méthode au Québec.

Il a étudié en théâtre, en cinéma et en scénarisation. Auteur de la série télévisée *Une faim de loup* diffusée sur *Canal famille* et sur *Canal J* en Europe, il en interprète aussi le rôle principal, *Simon le loup*. Il est aussi l'auteur de nombreuses pièces de théâtre pour enfants dont : *La gourde magique, À l'ombre de l'ours, Vie de quartier, La grande fête du cirque, Dernière symphonie sur l'île blanche, L'aigle et le chevalier* et *Les contes de la pleine lune*.

Maintenant il plonge dans l'univers de *Nick la main froide* et en prépare déjà l'écriture de ses prochaines aventures dont *Les espions, Le secret de Vladana, La coupe de cristal, Le dôme de San Cristobal* et d'autres histoires à venir qui mèneront Nick et toute sa bande aux quatre coins de la planète.

* * *

MICHELLE DUBÉ est née le 5 Septembre 1983 à Baie-Comeau au Québec.

Elle crée avec Joany Dubé-Leblanc la revue *Yume Dream* dans laquelle elle publie ses bandes dessinées. Elle travaille aussi comme dessinatrice avec Stéphanie Laflamme Tremblay sur une nouvelle BD.

Elle adore le dessin et l'écriture. Cela lui permet de s'évader et d'avoir une bonne excuse pour avoir l'air dans la lune. Dans ses passe-temps, en plus d'adorer la compagnie des animaux, elle dévore les romans en grande quantité. Nouvelle collaboratrice aux éditions du petit monde, elle se lance dans l'illustration des personnages des nombreux épisodes à venir de la collection *Nick la main froide*. Bienvenue dans l'aventure.

Résumé

Nick a une main froide. Sa tante Vladana, alchimiste et sorcière, fabrique des parfums et des potions qui guérissent les gens. Un jour, elle entreprend la fabrication d'un élixir aux propriétés secrètes. Dans un livre très ancien, qu'elle a exhumé d'un tombeau égyptien, elle trouve une liste de trois cent soixante ingrédients saugrenus. En réalisant cette potion, un accident se produit, et Nick reçoit sur sa main droite un liquide incolore, inodore et invisible. Sa main enfle tellement que les médecins veulent la couper. Le lendemain, mystérieusement, sa main redevient normale. Normale ? Pas vraiment ! Sa main a maintenant des propriétés insoupçonnées que Nick découvre au fil des jours. Son nouveau voisin, Martin, est le premier qui comprend que cette main est dotée de pouvoirs. À compter de ce jour, Nick et Martin deviennent d'inséparables amis et partagent tous leurs secrets. Béatrice Aldroft, une Américaine qui vient vivre au Québec pendant un an, se lie d'amitié avec eux. Ensemble, ils décident de changer le monde.

Prologue

Vladana, pour aider Martin, Nick et Béatrice à changer l'atmosphère sombre de la classe 302, décide de fabriquer un peu de sa potion. Mal lui en prend ; une explosion, en apparence accidentelle, se produit et détruit entièrement sa maison. Vladana se retrouve alors dans le coma. Elle se réveille parfois pour quelques minutes. Mais, malheur suprême, elle a perdu la mémoire et a tout oublié de ses talents de sorcière. À jamais ? Peut-être pas, puisque Béatrice, Martin et Nick partent, dans cette nouvelle aventure fantastique, à la recherche de sa mémoire perdue ! Et rien, ni personne, ne les empêchera de réussir à percer ce mystère !

Chapitre 1

Plus dur que le roc

C'est l'été. Depuis hier, l'école est terminée. Les autobus restent dans les garages. Partout, les écoliers vivent la joie des grandes vacances. Une joie tranquille, car presque tout le monde dort encore.

Nick, lui, est triste. Comme toujours il s'éveille à 5 h 30 du matin. Après un déjeuner rapide, il se dirige vers ce qui reste de la maison de Vladana. Chaque jour, en marchant la centaine de mètres qui le sépare du 146, rue de Tourville, il espère que cette histoire n'est qu'un cauchemar. Il aimerait tant que la maison de Vladana n'ait pas brûlé. Il donnerait tout au monde pour que sa tante l'accueille et lui raconte une autre de ses histoires fantastiques et mystérieuses. Mais non, la tragédie a bel et bien eu lieu.

Maintenant, plus rien n'existe. Vladana, toujours à l'hôpital, sort parfois de son coma, mais ne se rappelle plus de son monde relié à la sorcellerie. Les liquides qu'ils ont fabriqués, les potions extraordinaires qui devaient leur servir à changer la face du monde, tout cela, comme la mémoire de Vladana, s'est envolé en fumée.

Comme chaque matin, Nick grimpe dans l'immense chêne centenaire, heureusement épargné lors de l'explosion du laboratoire de Vladana. Il s'assoit sur une branche basse, et là, il réfléchit à ce qu'il doit faire pour réparer les pots cassés.

Invariablement, à la même heure, Martin, son grand ami, passe sous les rubans orange délimitant le quadrilatère autour de la maison détruite. Il regarde lui aussi la désolation du terrain maintenant presque vide. Hier, les camions et les tracteurs sont venus dégager la matière calcinée qui gisait là depuis un mois.

Avant de rejoindre Nick dans l'arbre, Martin lui fait un petit signe de la main et se dirige vers le carré de maison demeuré tout noir, malgré les travaux de la veille. Sur une surface de huit mètres par dix, au niveau du sol, là où était la maison, une couche de goudron, solidifiée comme de la lave refroidie, recouvre l'excavation.

— Nick, questionne Martin, brisant le silence triste du matin, as-tu vu ce qu'ils ont laissé ?

Nick, sort de sa torpeur, descend de l'arbre, s'approche de la matière noire et la touche du bout du pied.

— C'est dur comme de la roche ! Pourquoi n'ont-ils pas enlevé ça ?

— On ne voit même pas le sous-sol… On dirait une couche de ciment noir. Ça existe du ciment noir ?

Ils font le tour de cette plaque sur laquelle Martin se décide à marcher.

— Nick, ça glisse ! Qu'est-ce que c'est que ça ? On dirait une patinoire.

Nick et Martin patinent et rient aux éclats. Béatrice s'approche et les observe en souriant. Enfin, elle les revoit heureux. Cela a été si difficile, depuis un mois, d'accepter que Vladana ne soit plus Vladana.

Béatrice se joint à eux et dérape sur cette suie solide et noire. Au bout de quelques minutes de plaisir, elle se rend compte que le noir se détache de la surface.

— Regardez les gars, c'est bleu ou blanc en-dessous. On dirait…

— … du cristal, remarque Nick. La couche noire s'enlève ! On voit à travers, il me semble ! Le sous-sol de Vladana, son laboratoire, on le voit, regardez !

— Ça me surprendrait, tout a brûlé ! les contredit Martin.

— Ouais, c'est vrai, c'est sûrement mon imagination ! acquiesce Nick.

Une camionnette surgit alors dans la cour, suivie de deux immenses bulldozers et d'un dix roues sur lequel est installée une gigantesque grue. Comme ils n'ont pas le droit de s'aventurer au-delà des rubans orange, Martin et Béatrice se sauvent en courant. Nick, encore concentré sur ce qu'il voit sous le cristal, perd pied et tombe. Sa main froide arrache un bout de suie noire et se retrouve en contact direct avec la surface claire qui se met aussitôt à briller. La lumière, aveuglante, transperce le sol et illumine les environs à la manière d'un éclair ininterrompu. Nick ressent alors un état de bien-être extrême. Martin et Béatrice se retournent et n'en croient pas leurs yeux. Plus la lumière brille, plus la main froide de Nick traverse le cristal ; son bras disparait de l'autre côté !

— Nick, viens vite, s'écrie Martin, le constructeur arrive !

Nick ne répond pas. La lumière blanche l'irradie. Il se sent si bien qu'il ne veut pas bouger. Béatrice, affolée par l'arrivée du constructeur, revient sur ses pas, saisit Nick par le bras gauche et l'entraîne vers le chêne. La main froide de Nick glisse aisément hors du cristal et la lumière disparaît d'un seul coup.

— Monsieur Brisson, avez-vous vu l'éclair ? demande Monsieur Larivière, le conducteur du camion de démolition.

— Oui, euh, non… tu as vu le reflet du soleil, je pense !

Ayant tout vu de l'effet de la main de son ami sur la couche de cristal, Martin revient se pencher sur la patinoire et tente d'y plonger la sienne. Sa main frappe durement la surface, sans réussir à la transpercer, et rebondit. Martin se sauve en hurlant de douleur.

Monsieur Brisson l'intercepte.

— Petit, tu ne peux pas jouer ici.

Puis, il crie à la ronde :

— Personne ne peut s'approcher ! Reculez, reculez, jusqu'à la rue…

— Commencez-vous à construire aujourd'hui ? interroge Martin.

— Non, on ne peut pas encore couler le ciment du nouveau sous-sol. Hier, on n'a pas réussi à creuser dans ce goudron sec… Alors, aujourd'hui, j'ai amené avec moi les meilleurs engins démolisseurs de la région. Hé hé hé, dit fièrement le contremaître, il n'y a rien qui peut résister à ces trois monstres-là. Voyez-vous le petit bulldozer, là ? Celui qui s'avance ?

Nick, Martin et Béatrice ne le trouvent pas petit du tout ! Même qu'il est effrayant avec ses pics pointus sur l'avant, ses chenilles géantes et son ronronnement d'enfer.

— On dirait un animal, fait remarquer Nick.

— C'est un animal, hé hé ! C'est un monstre, un champion démolisseur, c'est un D-8 mais moi je l'appelle Hector parce qu'Hector c'est le plus fort, hé hé hé ! Il pourrait même faire fuir un char d'assaut, dit-il, le sourire fendu jusqu'aux oreilles. Reculez, reculez, jusqu'à la rue, jusqu'à la rue ! rajoute-t-il en criant pour enterrer le son d'Hector le D-8, qui s'avance déjà.

Nick et sa bande retournent derrière le périmètre de sécurité, puis longent les rubans et grimpent dans le grand chêne. De là-haut, ils observent ce dragon des temps moderne qui s'apprête à briser la couche de cristal.

Le quartier se réveille lentement et les enfants jettent un coup d'œil à leurs fenêtres avant de courir vers le chantier.

Dans un grondement terrifiant, Hector s'approche à moins d'un mètre de son adversaire, la couche de cristal. Le bras avant du monstre prend son élan, s'élève dans le ciel, puis redescend à vive allure vers le sol. Il frappe la matière noire de toute sa puissance, mais, à la surprise de tous, au lieu de le transpercer, il rebondit sur lui-même, en se tordant. Des étincelles fusent sur toute la surface du terrain. Une fumée dense et noire s'échappe du moteur essoufflé de l'engin qui s'immobilise, raide mort. Le chauffeur en sort, effrayé.

Monsieur Brisson, si souriant tout à l'heure, éructe des dizaines de jurons et entre dans une colère incroyable, persuadé que sa machinerie toute neuve ne vaut pas un sou. À l'aide de la grue, et en continuant de hurler, il dégage le bulldozer, puis fait au moins dix appels téléphoniques pour qu'on remplace cette machine au plus vite.

Il se tourne vers les badauds qui, désormais, ont envahi les alentours et annonce très fort que le D-10, Hector 2 (grand-frère du D-8) effectuera maintenant le travail. Effleurant avec tendresse une des chenilles géantes du D-10, le contremaître retrouve un semblant de calme. Il grimpe sur Hector 2, démarre le moteur qui fait un énorme vacarme, puis ordonne au chauffeur, Monsieur Larivière, de grimper aux commandes du monstre.

Si le premier bulldozer effrayait les enfants, le deuxième fait frissonner toutes les maisons du quartier. Si quelqu'un dort encore à deux kilomètres à la ronde, c'est qu'il est sourd ou qu'il est mort, pense Martin.

De toutes les maisons sortent des enfants et des curieux qui rejoignent une foule de plus en plus imposante.

Monsieur Brisson est en sueur et, visiblement, le chauffeur n'aime pas ce qui se passe. Jamais une matière ne leur a résisté de cette façon. Quand Monsieur Migacht, le père de Nick, arrive sur les lieux, le contremaître lui montre son D-8 mort, et cogne sur la couche de cristal avec ses pieds.

— Qu'est-ce que c'est ? demande le père de Nick à Monsieur Brisson en regardant le sol.

— Aucune idée et cela m'est égal... tout ce que je veux c'est détruire cette saleté.

Orgueilleux, Monsieur Brisson fait un autre appel téléphonique et prépare un plan infaillible pour venir à bout de la substance inconnue. Hector 2, aussi haut que les arbres, s'approche de la fausse patinoire.

De leur point d'observation, Nick, Martin et Béatrice aperçoivent le chauffeur qui arrête sa machine, sort de son poste de conduite et argumente avec le contremaître.

Monsieur Migacht vient les rejoindre sous la branche du chêne.

— Salut Martin, bonjour Béatrice...

— Qu'est-ce qui se passe, papa ? interroge Nick.

— Monsieur Brisson s'est juré qu'avant la fin de la journée, il y aurait un trou dans cette cour. Il est devenu fou, il est prêt à tout pour percer ce... cette... Sais-tu ce que c'est toi, Nick ?

— Pas vraiment...

— Peut-être que Vladana a quelque chose à voir avec ça ?

— Sûrement papa ! répond Nick, en évitant de parler de ce qui s'est passé avec sa main tout à l'heure, car personne n'est au courant des pouvoirs de celle-ci sauf Martin et Béatrice.

— En tout cas, reprend Monsieur Migacht, Monsieur Brisson vient de perdre au moins 20 000 $ en brisant des morceaux de son bulldozer et il insiste auprès du chauffeur pour que celui-ci avance sur la plaque de goudron ou de je ne sais trop quoi... Te rends-tu compte de ce qui peut arriver si cette plaque casse ? Et, crois-moi, avec le poids du deuxième bulldozer, elle va éclater. Ce bulldozer pèse soixante-dix mille kilogrammes. Il vaut au moins 300 000 $. Il va se briser en tombant dans le trou qu'il y a en-dessous. Et le chauffeur a peur, il pourrait y laisser sa peau. Je lui ai dit de tout arrêter, mais Monsieur Brisson ne veut rien entendre. Tu l'as vu m'engueuler tout à l'heure ? Il m'a crié : « c'est mon chantier ! Reculez ! Reculez, jusqu'à la rue, jusqu'à la rue ! Reculez, reculez ». Il est devenu fou !

La dispute entre le chauffeur et le contre-maître se termine par le départ du chauffeur qui décide de rentrer chez lui, à pied. Le contre-maître, rouge de colère, ne voit même pas la foule qui s'agglutine tout autour du chantier, étirant au maximum les rubans de plastique orange. Monsieur Brisson entre dans l'habitacle d'Hector 2, saisit les commandes du monstre de fer, effectue quelques manœuvres de recul puis, accompagné des soupirs des spectateurs, avance sur la plaque.

Les observateurs, toujours plus nombreux, reculent. Ils craignent le fracas que produira, dans quelques secondes, la manœuvre osée du contremaître. Le colosse avance, s'appuie sur un pic de métal et sautille plusieurs fois sur place, mais échoue à détruire le cristal. Monsieur Brisson sort la tête par la fenêtre, gesticule et multiplie les ordres et les jurons à l'endroit de ses employés qui s'affairent de tous les côtés. Il continue à se déplacer avec le bulldozer pour trouver la faille. Au bout d'une bonne demi-heure de tentative, il sort du ventre d'Hector 2 et descend sur la fausse patinoire. Armé d'une masse, il se met à frapper le revêtement mystérieux. Des étincelles volent à une dizaine de mètres dans les airs, formant un magnifique et dramatique feu d'artifice autour du contremaître fou que rien n'arrête. Toutefois, son combat semble perdu d'avance.

Au bout d'un quart d'heure, un long camion arrive dans la petite rue, tirant une plate-forme chargée de blocs de ciment. Le contremaître hurle ses ordres, tout en continuant à cogner en vain, créant des étincelles bleues, jaunes et vertes qui fusent de partout. Pendant ce temps, la grue dépose sur le bulldozer, les lourds blocs de béton.

— Reculez, reculez, jusqu'à la rue, crie Monsieur Brisson avec des yeux rouges exorbités qui font peur.

Quatre heures plus tard, c'est le chaos total. Le bulldozer, immobile, en plein centre de la patinoire, a l'air de faire partie d'un immense jeu d'enfant. Une quarantaine de blocs de ciment sont empilés sur le devant et l'arrière d'Hector 2. Celui-ci croule et craque sous le poids, mais rien n'y fait, la surface lisse et noire, elle, reste intacte.

Nick est fasciné par ce qui arrive. Vladana, et ses centaines de potions qui ont explosé, est-elle derrière ça, se demande-t-il ? Ce cristal est-il le résultat de toutes les expériences chimiques tentées par Vladana ?

En fin d'après-midi, vaincu, Monsieur Brisson, lance sa masse très haut dans les airs, s'éloigne de son véhicule transformé en montagne de ciment, ordonne l'arrêt des travaux, puis s'en va à pied, sans même regarder qui que

ce soit. Derrière lui, la masse retombe sur la patinoire et rebondit plusieurs fois comme sur un trampoline, dans une gerbe de filaments de lumières multicolores. Monsieur Brisson a perdu la bataille.

Pendant deux semaines, rien ne bouge. Le chantier de construction est complètement laissé à l'abandon. Des policiers, appelés par le père de Nick, surveillent en permanence le chantier pour éviter tout accident. Si l'un des blocs de ciment tombe sur quelqu'un, c'est la mort assurée. Autour de cette drôle de sculpture fragile et extrêmement dangereuse, ils établissent un nouveau périmètre de sécurité avec des poteaux, des cordes et des panneaux. Personne n'a le droit de s'approcher du cristal.

CHAPITRE 2

Bloomsberg et Rohman

Au Nevada, dans un laboratoire enfoui huit mètres sous le sable du désert, des scientifiques continuent de vérifier leurs données. Le professeur Peter Bloomsberg, le chef d'une toute petite équipe de chercheurs, travaille dans le plus grand des secrets sur le programme SELI (Search for Extra-Luminescent Intelligency) *(recherche portant sur l'intelligence extra-luminescente)*.

Ce programme a été mis sur pied, dans le plus grand secret, il y a plus de quarante ans, par l'Organisation des Nations Unies (ONU) et financé par des donateurs privés et anonymes. Le professeur Bloomsberg cherche à capter une nouvelle source d'énergie extra-luminescente. Charles Bloomsberg, le père de Peter, est le premier à avoir perçu une source lumineuse inconnue, il y a de cela plus de soixante ans. Il a basé ses recherches sur des notes retrouvées dans des cahiers que certains attribuent à Léonard de Vinci. Selon ses premières constatations, à quelques endroits sur la terre et à des moments très rares, des faisceaux lumineux surgissent soudainement. Ils seraient la source d'une énergie inconnue et fabuleuse.

La plupart des scientifiques qui ont eu vent de cette affaire, ne croient pas à cette théorie et trouvent plutôt farfelues, les recherches que l'équipe SELI de Peter Bloomsberg poursuit depuis vingt ans maintenant. Il a fabriqué divers instruments de captation et, à l'aide de nouveaux satellites qu'il a le droit d'utiliser à certaines heures depuis deux ans déjà, il juge être en mesure de localiser la prochaine apparition de cette lumière extraordinaire. Un jour, croit-il, on pourra utiliser la force de cette luminescence méconnue comme énergie gratuite. Tous auront droit à ses bienfaits. Il estime qu'il s'agit de la plus grande source potentielle d'énergie jamais découverte par l'homme. À ses yeux, cette force possède une forme d'intelligence supérieure... comme si elle était vivante ! C'est du moins ce que sa théorie semble vouloir démontrer. Mais comme il n'en détient pas la preuve, il garde secret le fruit de ses recherches. Il ne voudrait surtout pas que ce qu'il découvrira tôt ou tard, soit mal utilisé par d'autres hommes.

Ce qu'il ignore toutefois, c'est l'intérêt que ses travaux suscitent à la Power Electronical Compagny (PEC), une grande compagnie américaine dont le président s'intéresse depuis longtemps aux travaux des gens de la SELI. Il a engagé une équipe d'agents secrets, dirigée par Dennis Rohman, pour espionner Peter Bloomsberg et son groupe de chercheurs.

Dennis Rohman est un chimiste-biologiste. Il travaille depuis dix-huit ans sur les données recueillies par Bloomsberg. Sa mission? Trouver cette source d'énergie et se l'approprier pour le compte de la PEC. Tous les moyens sont mis à sa disposition.

Rohman sait que Bloomsberg a récemment capté sur ses instruments sophistiqués une manifestation de l'énergie inconnue.

Nick, en touchant au cristal avec sa main droite, a déclenché, sans le savoir, un éclair puissant qui intéresse plusieurs personnes.

Grâce à leur nouveau satellite de détection, Bloomsberg a réussi à localiser la source lumineuse.

— At Sainte-Rose, Laval, Canada, in the province of Quebec. 146, de Tourville street, in the backyard. (*À Sainte-Rose, Laval, Canada, dans la province de Québec. 146 rue de Tourville dans l'arrière-cour*).

Bloomsberg sait. Alors Rohman sait!

— Well, reprend le président de la PEC en apprenant cette nouvelle, do you think it's important?

(*Bon, reprend le président de la PEC, pensez-vous que c'est important?*)

Rohman lui explique que c'est l'heure de vérité. Bloomsberg s'apprête à aller observer en secret cet endroit. Rohman suggère de mettre son équipe spéciale sur le coup. La PEC doit s'accaparer cette énergie qui révolutionnera le monde.

— There's so much money to do with that energy, I believe! Imagine, Bloosmberg said it's free and it's easy to use. Mister president, all the money in the world will be ours!

(*Il y a tellement d'argent à faire avec cette énergie, je pense! Imaginez, Bloomsberg a dit que cette énergie est gratuite et facile à utiliser. Monsieur le président, tout l'argent du monde est à notre portée!*)

— Go on, répond le président. We have to keep that energy for ourselves! Go on Rohman. I don't want to hear about that before we get it, understand it and are able to use it! Go on go on!

(*Allez de l'avant! Nous devons garder cette forme d'énergie pour nous. Aussitôt que possible, Rohman, mettez-vous en marche... vous avez carte blanche! Je ne veux plus entendre parler de ce sujet avant que l'énergie ne soit captée, comprise et prête à être utilisée. Allez-y, allez-y!*)

Rohman est un homme sans scrupule qui arrive toujours à ses fins. Déjà, il y a douze ans, il avait réussi à identifier une personne aux États-Unis dans le Massachusetts qui semblait avoir trouvé la source de cette énergie. Une dame avait été interrogée, questionnée, observée, puis elle avait disparu. Il y a quelque temps déjà, dans une classe de troisième année au Québec, on a retrouvé des traces d'émanation de cette énergie (*). On avait ainsi réussi à retrouver cette dame qui porte le nom de Vladana Loutchinski.

---

* Voir le roman *Nick la main froide*, *épisode 2* : *Miracles à Saint-Maxime*, page 18 et 26, quand Nick et Martin utilisent la potion sur la chaise de Monsieur Lanverdière.

CHAPITRE 3

Des mots d'espoir

À l'hôpital Saint-Maxime, Vladana demeure dans un état stable. Nick, Béatrice et Martin viennent la voir tous les jours. Parfois, Nick s'assoit pendant des heures en plaçant sa main froide sur la tête de sa tante.

Les médecins ne craignent pas pour sa vie, mais n'osent pas se prononcer sur l'évolution probable de sa mystérieuse maladie. Jamais ils n'ont vu un cas comme celui-ci. La majeure partie du temps, Vladana est dans le coma… ses yeux sont fermés, son cœur bat, elle est vivante, mais elle ne réagit à rien et ne semble rien entendre.

Parfois, et c'est là que son état est vraiment curieux pour les médecins et ceux qui ne connaissent pas les propriétés de la main de Nick, elle se réveille brusquement. Alors, elle se lève et elle parle, tout naturellement. Ce qui fait toujours pleurer de joie Béatrice.

— Qu'est-ce que tu as ma belle ? s'inquiète Vladana à la vue des larmes sur les joues de Béatrice.

— Rien, j'ai seulement hâte que tu sortes d'ici…

— Ne t'en fais pas, aujourd'hui je sors de l'hôpital… je ne suis plus malade du tout… pourquoi je reste ici ?

— Pour rien, tu as une grippe, invente Béatrice mal à l'aise.

— Un virus, continue Martin en détournant les yeux.

— On va t'aider à guérir tante Vladi, déclare Nick.

— J'ai tellement hâte de revenir chez moi… Béatrice, peux-tu aider Albert à la maison, il ne s'occupe sûrement pas des plantes. Martin, Nick, vous mettez de l'eau dans le petit contenant vert hein ? Tous les jours, c'est juré ! L'air doit demeurer bon à respirer dans la maison.

— Promis tante Vladi, répondent les trois amis en choeur

— Excusez-moi, je vais dormir un peu avant de préparer mes bagages pour rentrer chez moi je… à bientôt !

Vladana se rendort, comme ça, en une fraction de seconde et replonge dans un coma profond et inexplicable.

En sortant dans le corridor, les trois amis essuient une larme. Puis, en silence, ils se dirigent vers l'ascenseur de l'hôpital où Vladana est hébergée depuis un mois. Elle a complètement perdu la mémoire... elle ne se rappelle plus du feu destructeur qui a ravagé son laboratoire, sa maison, ses plantes, ses potions, son petit contenant vert et tout ce qu'elle possédait. Et les ingrédients de cette recette incroyable que Vladana voulait réunir ont aussi brûlé... ces trois cent soixante ingrédients, comment en retrouver la liste ? Comment changer ce monde injuste sans les pouvoirs de cette potion fantastique ? Béatrice se souvient de cinquante ingrédients, Nick de cent et Martin de cent aussi... ils les ont réunis dans un coin de la cabane chez Nick. Dans le cerveau de Vladana, il reste donc le nom de cent dix ingrédients à retrouver et aucun indice pour y parvenir.

Rien ne sera plus jamais pareil, pensent-ils, car Vladana connaissait tellement de choses... il y avait en elle une telle mine d'or d'informations !

— On ne se décourage pas, d'accord ? confie Nick, comme s'il lisait dans leurs pensées.

— Jamais, répondent Martin et Béatrice.

— Jamais on ne l'abandonnera...

— Jamais !

— On va l'aider à guérir, à retrouver sa mémoire ! À partir d'aujourd'hui, on fait tout pour elle, on met toutes nos énergies en commun pour tante Vladi, affirme Nick, très positif.

— Tous pour un et un pour tous, reprennent les trois amis en chœur pour une millième fois au moins.

Un seul objectif les habite et les unit désormais ; *tout faire pour aider Vladana à retrouver sa mémoire et enfin changer le monde avec les pouvoirs de sa potion fantastique.*

CHAPITRE 4

Le petit René

Tous les jours, après avoir quitté Vladana, ils se dirigent, la mine basse, vers l'ascenseur qui les mène au huitième étage. Leur visage défait s'illumine à tout coup quand le petit René, du bout du corridor du huitième étage court de toutes ses forces en les voyant s'approcher. Ses jambes et ses bras désarticulés par la maladie l'empêchent d'avancer très vite, mais il court tout de même avec un sourire radieux accroché au visage.

— René, interpelle Béatrice.

Béatrice va à sa rencontre et accueille le petit garçon de cinq ans et demi en le serrant fort dans ses bras.

Chaque jour, c'est la même chose. René attend avec impatience ses amis qui viennent lui rendre visite. C'est Béatrice qui a eu cette idée, le premier jour de leur visite à l'hôpital, le surlendemain de la tragédie chez Vladana. Comme Vladana devait se reposer et que les visites étaient terminées, les gars ont proposé de se rendre sur les lieux de l'incendie pour tenter de trouver des indices concernant l'origine de l'explosion. Béatrice s'est interposée :

— Les gars, on veut enquêter, je suis d'accord. On veut trouver des indices, je suis encore d'accord. Tout ça pour aider Vladi et pour changer le monde, toujours d'accord. Mais le reste du monde va attendre encore un peu pour aujourd'hui. On est dans un hôpital, on va commencer par changer le monde ici. D'accord ?

— D'accord ! répondent Nick et Martin en ne voyant pas vraiment où voulait en venir leur amie.

— Mais qu'est-ce que tu veux qu'on fasse ? demande Martin.

— Il y a sûrement des enfants malades ici, on est dans un hôpital, n'oubliez pas ça ! Venez, suivez-moi ! leur ordonne Béatrice.

Béatrice ne recule devant rien pour atteindre ses objectifs. Elle veut rencontrer des malades ? Les hôpitaux n'acceptent pas les enfants non accompagnés d'un adulte lors des visites aux malades ? Elle trouvera tout de même le moyen de venir distraire et réconforter les enfants mal en point. Rien ne résiste à ses inventions abracadabrantes. Elle se trouve toujours de faux liens de parenté avec les patients pour justifier sa présence en pédiatrie. Elle a surtout réussi à se lier d'amitié avec l'infirmière en chef, Lyna Martingale, qui lui permet de venir rencontrer ses nouveaux amis dans la salle de jeux au huitième quand bon lui semble.

Et donc, chaque jour, depuis un mois, Béatrice, accompagnée de Nick et Martin, vient rencontrer le petit René, qui vit en permanence à l'hôpital depuis sa naissance. Ils rencontrent aussi, par la même occasion, beaucoup d'autres enfants qui adorent leur visite quotidienne.

— Ça va René ? lui demande Béatrice en le serrant fort dans ses bras

— Gé, gé gé ni nial ! lui répond avec grand bonheur le petit René. Salut Ma Ma Martin, Nick ta tante Vla Vla Vladada Vladana va va va bien ?

Le petit René réussit tant bien que mal à s'exprimer. Il ne se décourage jamais, sachant bien qu'à un moment ou un autre, il réussira à se rendre au bout de sa phrase et au bout de son idée.

— Non pas très bien, murmure Nick, un peu triste, elle ne se souvient toujours de rien.

— Je je pense à elle ! Tu as apporté… ?

— …sa photo ! Cadeau… pour toi !

Nick lui présente un sac cadeau à l'intérieur duquel René trouve un petit loup en peluche et une photo encadrée de Tante Vladana.

— Merci, merci ! répète René en observant attentivement la photo de Valdana. Je … je vais penser à elle toujours tou tou toujours !

— Bonjour Nick, bonjour Martin, bonjour Béatrice.

L'infirmière Lyna, qui passe par là, vient saluer tout le monde. Elle adore les voir rôder en pédiatrie. Depuis qu'ils viennent faire des tours tous les jours, elle a vite constaté le don qu'ils possèdent à créer la bonne humeur dans le cœur des enfants malades.

— Ly, Ly Lyna, commence René, est-ce que je peux leur mon mon montrer le le le le nouveau ?

— Non René, répond Lyna, personne ne peut le voir.

— Mais mais mais…

— Oui oui oui René je sais, toi tu l'as vu… hésite Lyna !

— Je je je vais leur montrer, mais tu ne le sauras p p p pas !

— D'accord, arrange-toi pour que je ne le sache pas et que personne d'autre sache que j'ai fait comme si je ne le savais pas, d'accord ?

— D'a, d'a d'accord ! répond le petit René en souriant.

Lyna s'éloigne. René entraîne ses amis dans un long corridor de l'hôpital. Ce faisant, ils rencontrent au moins dix enfants malades qui appellent Béatrice, Martin et Nick à leur chevet. Toujours, les trois amis s'arrêtent, entrent dans les chambres, parlent avec les enfants, leur racontent des histoires, les font rires, les aident à manger, puis leur disent au revoir et leur donnent rendez-vous pour le lendemain. C'est incroyable comme ils arrivent à faire du bien tout en ne faisant rien. Des enfants qui visitent des enfants à l'hôpital? Jamais personne, avant Béatrice, n'avait pensé à ça !

René, impatient, réussit enfin à les amener jusqu'à une chambre isolée dans un petit coin de l'étage des enfants, derrière de multiples portes qui forment une espèce de labyrinthe avant de les mener à une porte pourvue d'une petite fenêtre. À travers la vitre, Nick, Martin et Béatrice réussissent à voir un enfant couché, endormi et complètement défiguré. Discrètement, ils entrent dans la chambre et s'approchent de lui. Le petit René, toujours souriant, lève un peu le drap qui recouvre les épaules et le torse du petit et leur fait découvrir une vision d'horreur. Tout le torse du petit est vert et de sa colonne vertébrale sortent de petits os pointus.

— Pauvre petit, constate Béatrice, qu'est-ce qui lui est arrivé ?

— Je... je... crois qu'il a vrai vraiment mal... parfois il crie crie très fort...de là-bas on ne l'entend pas, mais moi je je je me promène partout et grâce à Lyna je viens lui donner de l'eau. Nick, tu tu tu peux l'aider ?

L'infirmière Lyna arrive aussitôt, regrettant de les avoir laissé aller jusque là. Elle leur demande avec empressement de sortir.

— Ne dites à personne que vous l'avez vu ! les prévient l'infirmière.

— Qui est-ce ? demande Béatrice.

— On ne sait pas, personne n'est venu pour le chercher, personne ne vient jamais le voir à ce qu'on m'a dit aux soins intensifs quand je suis allée le chercher... il n'y a que le petit René et vous maintenant qui le connaissez.

— Qu'est-ce qu'il a ? demande Nick.

— Venez, ne restez pas ici, même moi je ne devrais pas savoir qu'il est là. On m'a demandé de ne pas regarder sous les couvertures, mais quand j'ai vu ces pics, j'ai pensé à vous... je l'ai montré à René... mais je ne peux pas vous demander de faire quoi que ce soit. Venez !

En les entraînant plus loin, elle ne peut s'empêcher de rajouter :

— Il est dans le coma, depuis un mois déjà ! Je ne devrais pas savoir ça, mais j'ai consulté son dossier classé secret. Son état se détériore à tous les jours, il était aux soins intensifs, en isolation d'après ce que j'ai appris, une équipe de chercheurs s'occupe de son cas et ça va de plus en plus mal. On l'a mené ici au huitième aujourd'hui seulement. Pas un mot à personne hein ?

— Non, promis ! dit Nick !

— On dirait un dinosaure ! déclare Martin en s'éloignant.

— No no no non non, c'est un un petit garçon, pas un di di di nosaure ! insiste le petit René en allant humecter les lèvres sèches du petit gars profondément endormi.

Chapitre 5

Charlot

Le lendemain, à l'hôpital, Vladana est très agitée. Nick a beau garder sa main sur son front, elle n'arrête pas de gémir dans son sommeil et de pousser sans cesse des hurlements incroyables. Des infirmières et des médecins s'affairent autour d'elle, cherchant à la calmer ou à comprendre ce qui lui arrive.

Au moment où Nick, Martin et Béatrice s'apprêtent à quitter sa chambre sur l'ordre des médecins, Vladana se lève, regarde par la fenêtre et crie :

— Non Charlot, ne te mêle pas de ça, va-t'en Charlot ! Ne viens pas ici ! Charlot, va-t'en, va-t'en !

Sans arrêt, elle répète les mêmes mots.

Martin entraîne Nick et Béatrice dans le corridor.

— C'est qui Charlot ? demande Martin !

— C'est un petit gars qui rendait des services à Vladana parfois, il habitait pas loin de chez nous sur la rue de Tourville je pense… il venait livrer des paquets, des plantes à Vladana… il est tout petit, six ou sept ans… Vladana l'aimait beaucoup. Je lui ai parlé souvent… il ne venait pas à notre école…

Comme toujours, ils montent jusqu'au huitième étage, en silence. Et, comme toujours, en voyant petit René au bout du corridor, le sourire leur revient au visage.

Pendant une bonne quinzaine de minutes, ils suivent petit René qui les entraîne dans toutes les chambres de l'étage.

— Bé Bé Béatrice, demande petit René, peux peux peux-tu chanter ta chanson à Sa Sa Samuel, il n'arrête pas de pe de pe de pleurer.

— Quelle chanson ?

En voyant Béatrice entrer dans sa chambre, c'est Samuel lui-même qui, au milieu de ses pleurs, se met à chanter :

— Il était un petit navire

Il était un petit navire

Il était un petit navire

Il était un petit navire…

Il ét..

Samuel ne se rappelle que ces paroles-là.

— Qui n'avait ja ja jamais navigué

Qui n'avait ja ja jamais navigué, ohé ohé, chante Béatrice.

De trois chambres plus loin on entend de petites voix crier : Ohé Ohé !

Pendant que Béatrice continue à calmer le petit Samuel, trois ans et demi, Nick et Martin se dirigent vers d'autres chambres pour accompagner cette chorale improvisée. Au bout de cinq minutes, pendant que petit René se promène de chambre en chambre, heureux comme un roi, Nick se rend compte que depuis leur arrivée, ils n'ont vu aucune infirmière.

Pressentant un évènement spécial, il se dirige vers la chambre isolée.

Ouvrant quelques portes, et s'approchant de plus en plus de la chambre du petit enfant souffrant, il commence à entendre des hurlements qui ressemblent étrangement à ceux de Vladana, aujourd'hui.

Devant la porte, Nick s'étire et regarde par la fenêtre. Dans la chambre du petit, des médecins et des infirmières s'affairent à le retenir sur son lit, mais le petit garçon hurle de douleur, échappe à leur emprise et fait reculer tout le monde en les griffant. Ses ongles sont de véritables couteaux tranchants. Soudain, apercevant Nick par la fenêtre, il arrête de crier, se dirige directement vers lui et, à travers la fenêtre, lui lance :

— Nick, sauve-moi, Nick sauve-moi !

En un éclair et malgré le fait que l'enfant soit complètement défiguré, Nick le reconnaît tout de suite :

— Charlot, c'est Charlot !

— Sauve-moi Nick !

Les infirmières saisissent Charlot, lui administrent un calmant et l'attachent à son lit en prenant bien soin de ne pas toucher à ces pics verts dégoûtants qu'il a partout sur le corps.

Chapitre 6

La petite boîte noire

Dans la chambre de Vladana.

Après une bonne heure de caresses avec sa main froide, Nick espère que Vladana se réveillera complètement pour lui révéler quelques-uns de ses secrets qui l'aideront à sauver le petit Charlot de cet état monstrueux dans lequel il se trouve.

— Viens Nick, lui souffle Béatrice, on s'en va dîner.

— Attends un peu, objecte Nick.

— Nick, insiste Martin, même avec ta main, je ne suis pas sûr qu'on va pouvoir la sauver.

— On va la sauver Martin, c'est juste une question de temps et d'énergie.

— Viens, on reviendra demain. Aujourd'hui on dirait qu'elle ne se réveillera pas.

— Je vais dormir ici cette nuit.

— Non, Nick, cette nuit il faut aller observer le chantier, j'ai l'impression qu'il y a des gens qui viennent la nuit… tu as vu ce matin, sur un des blocs de ciment, il y avait des dessins !

— Des dessins d'animaux, de crocodiles ou de je ne sais pas trop quoi… se rappelle Béatrice.

— Ou de dinosaure ! Tout ça a peut-être rapport avec Charlot ! pense Nick, silencieux et inquiet.

Monsieur Lanverdière, l'amoureux de Vladana, entre alors dans la chambre, une toute petite boîte noire en métal dans les mains.

— Bonsoir Nick, Béatrice, Martin… très content de vous voir ! La construction a recommencé, chez Vladana ?

— Non, informe Nick qui garde les yeux fixés sur la boîte noire que Monsieur Lanverdière a apportée, mon père a tout essayé, mais on a appris ce matin que le contremaître a fait faillite avec sa compagnie… et il faut qu'une nouvelle compagnie accepte de tout enlever pour recommencer le travail.

— Quelle malchance !

— C'est la boîte noire de Vladana, ça Monsieur Lanverdière ? demande Nick très intéressé !

Monsieur Lanverdière ne semble pas l'entendre. Il dépose sa boîte dans un coin de la chambre, se tourne vers sa chère Vladana et commence à lui parler très faiblement à l'oreille, comme s'il était certain qu'elle l'entendait. Pendant ce temps, Nick ne quitte pas des yeux la précieuse boîte noire et s'en approche tout doucement.

— Bonjour ma chérie ! Ça va ? J'ai une bonne nouvelle. Cette nuit j'ai rêvé à toi. Dans le rêve, tu m'offrais un panier de fruits des champs, puis tu me disais d'aller voir dans une de mes garde-robes où tu avais laissé quelque chose pour Nick !

— Pour moi ? demande Nick !

Sans entendre Nick, Monsieur Lanverdière continue de parler à Vladana.

— Dans le rêve, je te posais des questions, mais tu ne me répondais pas. Alors je me suis approché de toi. Tu me souriais, puis lorsque je t'ai touchée, tu t'es transformée en statue de pierre… je me suis mis à crier, très fort et là… et bien, je me suis réveillé en sursaut ! Incapable de me rendormir, j'ai décidé, au bout d'un moment, d'aller chercher dans mes garde-robes ! C'est fou hein, j'y ai cru à mon rêve… (Monsieur Lanverdière se retourne alors vers Nick, Béatrice et Martin) Et, j'ai bien fait d'y croire, parce que dans le fond d'une de mes garde-robes, cachée sous de vieilles couvertures, j'ai trouvé cette toute petite boîte.

Monsieur Lanverdière reprend la boîte de métal qui est toujours fermée! Elle mesure à peine six cm carré sur deux cm d'épaisseur.

— C'est la boîte secrète de Vladana, elle y plaçait parfois des objets bizarres, précieux, murmure Nick, hypnotisé par la boîte noire. Elle disait que ce petit coffret de métal protégeait tout ce qu'on pouvait y mettre.

— Je ne sais pas s'il y a quelque chose là-dedans, je n'ai pas encore osé l'ouvrir, informe Monsieur Lanverdière... Je vais lui montrer, peut-être qu'elle va réagir...

Monsieur Lanverdière approche la boîte du visage de Vladana qui ne bronche pas... puis, doucement, sous le regard approbateur de Nick, Martin et Béatrice, il essaie de l'ouvrir, mais ne trouve pas de serrure.

— Voyons, c'est curieux, s'inquiète Monsieur Lanverdière, il me semble que... par où est-ce que...?

— Non Monsieur Lanverdière, fait remarquer Nick, il n'y a pas de serrure, c'est sa boîte noire toute spéciale... elle me l'a déjà montrée. C'est un miracle que la boîte n'ait pas brûlé avec tout le reste.

— Elle l'a sûrement apportée chez moi avant le feu, mais comment peut-on l'ouvrir?

— Monsieur Lanverdière, reprend Nick, c'est Vladana qui a scellé la boîte. Elle contient un secret! Vladana ne voulait jamais rien écrire et, la plupart du temps elle gardait tout dans sa tête, mais quand elle arrivait à trouver ou à écrire quelque chose de spécial, elle l'enfermait dans cette petite boîte scellée.

— Ah! Oui? reprend Monsieur Lanverdière en tendant la boîte noire à Nick. Est-ce que nous on peut l'ouvrir?

— Peut-être, se concentre Nick en tenant précieusement la boîte dans ses mains, je ne sais pas trop… je vais essayer… il faut que je me souvienne comment… ça va sûrement me revenir! (Au bout d'un moment) Je vous le dirai si je trouve la façon de l'ouvrir, termine Nick en tendant la précieuse boîte à Monsieur Lanverdière.

— Garde-la, elle est à toi!

— Merci!

Nick sort de la chambre en regardant attentivement la boîte noire sous tous les angles. Béatrice et Martin le suivent et n'arrêtent pas, eux aussi, de la regarder.

— Il faut que je trouve la clef! confie Nick en mettant la boîte dans la poche arrière de son pantalon.

— La clef? Mais il n'y a même pas de serrure! chuchote Martin à Béatrice, en le suivant.

CHAPITRE 7

Sur un arbre perché

La nuit vient de tomber.

Trois ombres se glissent derrière une rangée de sapins, contournent une haie de cèdres, et grimpent jusqu'aux premières branches du chêne géant. Le policier de service, toujours dans sa petite guérite donnant sur la rue de Tourville, ne se rend pas compte de leur présence. Nick, Martin et Béatrice s'installent sur leur grosse branche habituelle, celle qui surplombe le terrain où se trouvait la maison de Vladana. La vue est superbe et la cachette idéale. Nick ne quitte pas des yeux la boîte noire de Vladana, qui résiste à toutes ses tentatives pour l'ouvrir.

Béatrice et Martin sortent le repas qu'ils ont préparé et commencent à grignoter un sandwich. Nick continue d'explorer la boîte.

— Mange Nick, insiste Béatrice, je t'ai fait ton sandwich préféré… des œufs, du bacon, de la mayonnaise et… (Voyant que Nick ne l'écoute pas, elle invente) de la moutarde extra-forte mélangée avec du chocolat fondant et du ketchup.

— Beurk ! s'exclame Martin en se tournant vers Nick.

— Parfait, déclare Nick.

Occupé à tourner et à retourner le précieux objet de Vladana, il n'entend personne.

— Je t'ai fait aussi un milk shake à la poussière, reprend Béatrice, et aux pattes d'araignées.

— Merci, répond distraitement Nick.

— Veux-tu un œil de grenouille avec ça ? plaisante Martin.

— Hein ?

— Ou un steak de langue de dragon, complète Béatrice en rigolant tout bas.

— Oui, merci Béatrice, répond distraitement Nick en se levant sur la branche, tombant presque en bas de son perchoir d'au moins trois mètres de haut.

Béatrice le rattrape par la main, avant de lui donner un sandwich. Nick y croque machinalement.

— Ouach ! s'écrie Martin en riant.

— Quoi ? demande Nick, surpris.

— Tu viens de manger un steak de langue de dragon.

— Comment ça ? répond vivement Nick en laissant tomber son sandwich au pied de l'arbre.

À l'aide de leur lampe de poche, Béatrice et Martin éclairent son visage en riant.

— You hou Nick, est-ce que tu pourrais nous écouter ? Ça fait deux heures que tu nous réponds n'importe quoi !

— C'est à cause de la boîte de Vladana, je n'arrive pas à l'ouvrir.

— Laisse-là un peu, tu ne trouveras rien en la regardant comme ça, sans arrêt, insiste Béatrice.

— C'est la seule piste qui nous reste pour aider Vladana… elle et Charlot sont à l'hôpital. Et Charlot, personne ne le connaît… dans la rue de Tourville, personne ne se rappelle l'avoir déjà vu, à part moi.

Après l'épisode de l'hôpital, Nick et ses amis sont allés cogner à toutes les portes de la rue de Tourville et des environs, mais personne ne se rappelait ce petit garçon… pourtant Nick se souvient l'avoir croisé des dizaines de fois chez sa tante. Qui est ce Charlot ? Que venait-il porter chez Vladana ? D'où vient-il ? Et, surtout, pourquoi se transforme-t-il en monstre ?

— Attendez, réfléchit Martin, la boîte et la patinoire, tous les deux sont noires… Nick, la boîte de Vladana est peut-être en cristal aussi ! Donne-la moi, je vais la gratter.

Martin essaie de prendre la boîte des mains de Nick, mais celui-ci, dans un état second, la serre très fort.

— Nick, s'il te plaît, passe-moi la boîte.

Nick se tait et tient la boîte de toutes ses forces. Béatrice vient aider Martin à tirer, cherchant à sortir Nick de son état bizarre et inhabituel.

— Nick, répète Béatrice, you hou Nick, la boîte laisse-la, on veut seulement la regarder.

Nick ne répond toujours pas, continuant à tenir la boîte comme si celle-ci le possédait.

Les trois tirent si fort sur la boîte qu'un petit éclat se défait et reste dans les mains de Nick pendant que la boîte se retrouve entre les mains de Béatrice et Martin.

Nick reprend alors ses esprits.

— Qu'est-ce qui se passe ?

Regardant dans ses mains, il y aperçoit une couche de suie noire.

— Nick, ça va ? Tu étais comme possédé par la boîte on dirait !

— Ah ! Oui ? demande Nick, incrédule.

— Nick, Martin, regardez, la boîte, remarque Béatrice, on y voit des petits bouts de cristal.

— Comme sur la patinoire, précise Martin.

La boîte est à présent à demi noire et à demi brillante et cristalline.

Nick, Martin et Béatrice, n'en reviennent pas de leur découverte. Sans hésiter, ils continuent de gratter la suie noire et dévoilent au grand jour, le cristal de la boîte de Vladana.

— La boîte est en cristal, comprend Nick. Elle est superbe !

— Regardez, observe Martin, il y a plein de minuscules dessins sur le côté de la boîte… on dirait des bêtes qui rampent comme des serpents… et d'autres rampants avec des pattes, qui les poursuivent… des lézards peut-être !

— Des lézards, ouach… s'écrie Béatrice en tremblant .

— C'est curieux, tout à l'heure, se rappelle Martin, j'ai vu des lézards dessinés sur un camion.

— Des lézards, reprennent-ils tous en chœur, dégoûtés !

— Où as-tu vu ça ?

— Je ne sais plus, essaie de se rappeler Martin, … en face des Martineau… à moins que ce soit dans le film que j'ai vu hier ?

CHAPITRE 8

Rohman et compagnie

Sur la rue de Tourville, en face de la maison des Martineau, Dennis Rohman et trois de ses complices installés dans une camionnette ornée de dessins de lézards, préparent leurs sombres plans.

L'intérieur de la camionnette est divisé en deux compartiments. D'un côté, il y a un poste d'observation ultra-moderne équipé d'ordinateurs reliés à des télévisions branchées sur quatre caméras miniatures montrant des images du terrain où se trouvait la maison de Vladana.

De l'autre côté d'un mur, il y a un laboratoire et des cages. Dans ces cages, il y a des lézards. Des Nidortas, espèce de lézard unique, qu'on ne retrouve qu'en Tanzanie à proximité des mines de diamants. Ces lézards ressemblent à de tout petits dinosaures. Ils ont la

peau verte et rose et sont d'une férocité sans nom. Les Tanzaniens qui travaillent dans les mines de diamants les craignent comme la peste. Quand un homme se fait mordre par un Nidorta, il meurt en quelques heures dans d'atroces souffrances. Des images horribles accompagnent tous les récits où ces lézards se retrouvent. Il est raconté que celui qui se fait mordre par un Nidorta devient lentement vert. Des bosses énormes lui poussent dans le cou et sur la figure. Certains racontent que les cris de douleur qui accompagnent leurs souffrances dépassent tout ce que l'on peut imaginer. Les récits racontent que tous ceux qui ont touché à des Nidortas meurent dans la demi-heure où deviennent eux-mêmes des monstres.

De nombreuses fois, ils ont tenté de les exterminer, mais la légende précise que ces lézards ont la propriété de passer à travers le roc et les gisements de diamants. Sous la terre, ils sont les rois et maîtres ! Jamais on ne les attrape. Curieusement, leur présence est aussi considérée comme favorable, car ces lézards sont attirés par les propriétés des diamants. Ainsi, ceux qui sont assez braves pour les suivre et les affronter, trouveront la richesse et la gloire.

Rohman, lui, a toujours adoré les lézards. Tout petit, il ne voulait pas d'un chien ou d'un chat, mais il collectionnait les salamandres, les couleuvres, les serpents, les geykos, les lézards. Tous ses travaux scolaires portaient sur les caractéristiques de ces animaux si repoussants pour certains et si merveilleux pour lui. Au fil des années, il est devenu l'ami et le parfait connaisseur de ces petites bêtes aux allures préhistoriques. Aujourd'hui, son passe-temps rejoint enfin son travail, car il complote d'utiliser les particularités des Nidortas pour percer le mystère du cristal. Depuis le temps qu'il étudie les travaux du professeur Bloomsberg, il sait que sur la terre il y a un élément mystérieux qui renferme des secrets fantastiques. Cet élément, ce cristal, semble être la source de cette énergie extra-luminescente. Mais ce cristal est, paraît-il, infranchissable. Sauf peut-être pour le Nidorta, espère Rohman.

Aujourd'hui, quelques spécimens de ce lézard féroce sont dans des cages à Sainte-Rose, tout près de chez Vladana. Cela a pris quelques années et quelques accidents mortels pour que Rohman réussisse à attraper des Nidortas. Les scientifiques qui travaillent pour Rohman ont réussi à recueillir le sang vert des Nidortas pour savoir ce qui leur permet de passer à travers les gisements de diamants.

Le but de ces expériences ? Créer une drogue qui transformerait certains humains en hommes-lézards. Ces hommes pourraient traverser le cristal tant recherché par Rohman et aller voir ce qu'il y a de l'autre côté et espionner ce monde de richesses infinies. Rohman a testé cet élixir de malheur sur le petit Charlot, enfant aban-donné et apparemment sans parent, mais la dose, trop forte, a rendu le petit semblable à un dinosaure.

Aujourd'hui, Mark Riley a été enrôlé pour tenter la deuxième expérience de trans-formation.

CHAPITRE 9

L'énigme

Ne sentant pas le réel danger si près d'eux, Martin et Béatrice sont tout de même impressionnés par les dessins et la cruauté qu'on peut lire sur la gueule des lézards.

— Ils me font peur !

— Bien d'accord, ajoute Nick en reprenant la boîte dans ses mains... Je me demande ce que Vladana voulait que j'apprenne avec cette boîte de cristal.

— Tu es sûr qu'elle est pour toi ? questionne Martin.

— Pas vraiment non. Monsieur Lanverdière, à cause de son rêve, pense qu'elle est pour moi, mais...

Martin, de sa lampe de poche, éclaire la boîte de plus près. Ce faisant, la lumière fait ressortir des lettres incrustées dans le couvercle.

— Regardez ! Je n'avais pas remarqué, quand on éclaire comme ça, c'est écrit : È Podl !

— È Podl ? reprend Béatrice, je ne connais pas cette langue !

— Il y a aussi, Osekera ku dkàbga !

— C'est un code, comprend aussitôt Martin.

— Possible, approuve Nick. Vladana écrivait toujours en code !

— Je vais déchiffrer ça, insiste Martin ! J'adore les codes....

Martin saisit la boîte.

— Attends, attends !

Nick, habituellement si conciliant, empêche Martin de prendre la boîte.

— Mais quoi, rétorque Martin, Vladana a écrit quelque chose et on va trouver ce que ça veut dire.

— Je n'aime pas l'idée que quelqu'un pourrait prendre possession de la boîte... elle contient sûrement des secrets !

— Nick, j'ai suivi des cours de détective, l'ancien ami de ma mère faisait partie de la police secrète. Il s'occupait de déchiffrer les messages codés et il m'a montré toutes les techniques qu'il connaissait. Je ne volerai pas la boîte Nick, voyons !

Nick ne répond pas. Il arrache plutôt la boîte des mains de Martin et semble plonger dans une transe mystérieuse.

— Nick, s'exclame Béatrice, Nick, donne-moi la boîte !

Nick ne réagit toujours pas.

— Béatrice, chuchote Martin, la boîte lui fait vraiment un drôle d'effet… il ne faut plus qu'il la prenne.

De peine et de misère, ils réussissent à arracher la boîte des mains de Nick qui reprend instantanément ses sens.

— Wow, remarque Martin, la boîte est devenue toute chaude, et, on dirait qu'il y a du liquide qui circule là-dedans…

— Je pense que tu as raison, on l'entend, on le sent… atteste Nick. On dirait l'énergie de Vladana quand elle me serrait dans ses bras !

Soudain, Nick essaie de reprendre la boîte, mais Béatrice l'en empêche.

— Non, non Nick, elle te rend bizarre cette boîte-là !

— Je ne sais pas ce qui m'arrive, révèle Nick en s'asseyant sur une branche pour se calmer un peu.

Béatrice se tourne vers Martin qui analyse encore les mots codés trouvés sur la boîte.

— Tu as trouvé Martin ? demande Béatrice.

— Pas vraiment… Je vais essayer de déchiffrer ces mots en commençant par les codes les plus simples… Mots écrits à l'envers.

È Podl

Osekera ku dkàbga

Si Vladana a écrit un mot à l'envers… ça devient : agbàkd uk arekeso ldop è. Hum, je pense que ça ne veut rien dire. Bon il y a d'autres codes très simples comme… regardez, regardez !

— Chut, chut, Martin, insiste Béatrice, pas si fort… il ne faut pas se faire repérer.

— Regardez, murmure Martin, si on change l'angle dans le cristal, on voit le chiffre −1 à côté des deux premiers mots, vous voyez ?

— C'est vrai ! s'exclame Béatrice.

— Et on voit +1 à côté des 3 mots suivants…

— Qu'est-ce que ça veut dire ?

— Aucune idée, répond Martin… Attends, c'est vrai… ça me rappelle… quand on écrit en code pour rire ou pour que ce soit facilement déchiffrable c'est ce que l'on fait… c'est une façon de faire une petite blague ou de préparer une chasse au trésor pour ses amis… C'est parmi les premiers codes que j'ai appris. Peut-être que

Vladana voulait te faire travailler juste un petit peu Nick.

— Oui Vladana pourrait faire ça, reprend Nick, de plus en plus intéressé par les talents multiples de Martin.

— Bon alors, continue Martin, aidé de Béatrice qui note tout ce qu'il dit sur un bout de papier. Je remplace chaque lettre par la lettre qui la précède dans l'alphabet, c'est ce qu'on appelle le code −1. En espérant que c'est écrit en français.

— J'espère… je ne parle pas le polonais comme Tante Vladana, moi !

— Attendez, È Podl (-1) Osekera ku dkàbga (+1) … essayons le code −1 pour commencer ; È devient D qui est la lettre avant E dans l'alphabet. Ouais, mais l'accent grave, pourquoi elle a mis un accent grave ? Un D avec un accent grave ? Ah ! Si elle a mis un accent grave, la lettre à trouver est une voyelle. Les accents vont seulement sur les voyelles. Les voyelles sont A E I O U, vrai ? Donc, la voyelle précédant le E est…

— … le A, affirme Béatrice. Ainsi, le premier mot décodé est un A…

— … avec un accent grave, complète Martin, pendant que Béatrice écrit À sur une feuille.

— Wow, s'exclame Nick, tu es un véritable agent secret !

— Le deuxième mot commence peut-être par la consonne qui précède le P, …

— …le N, précise Béatrice.

— Ensuite, le O devient…

— …le I.

— Le D devient le C et le L, le K! È PODL devient donc…

— …À NICK, complète Béatrice, les yeux illuminés.

— Ah! On est sur la bonne piste. Si Vladana a utilisé le code −1 c'est qu'elle le voulait facile. Il reste Osekera ku dkàbga … qui devient selon le code +1 :

O = U	K = L	D = F
S = T	U = A	K = L
E = I		À = È
K = L		B = C
E = I		G = H
R = S		A = E
A = E		

UTILISE LA FLÈCHE!

— Wow, tu avais raison Martin, déclare Nick.

— **À Nick**, répète Martin.

UTILISE LA FLÈCHE!

— Vraiment intéressant… j'adore les codes, déclare Béatrice. Il faut que tu me montres Martin.

— Mademoiselle, ici le détective Martin, qui vous remercie !

— Tu as sûrement raison à propos de ce code mais … Qu'est-ce que ça veut dire ?

— Je ne sais pas trop !

— Attention, fermez vos lampes de poche, il y a quelqu'un là-bas… chut ! fait remarquer Béatrice.

À côté de la haie de cèdres, les trois amis distinguent à peine quelqu'un qui rampe. En ce soir de pleine lune, ils arrivent à déceler la personne qui avance vers le chantier. Apparemment, l'intrus ne les a pas vus. Sans vraiment regarder derrière lui, Mark Riley, cobaye des expériences menées par Rohman, avance en zigzaguant, se tenant penché très près du sol. Une heure auparavant, il a été piqué au sérum à base de sang des Nidortas. Arrivé au milieu de la patinoire, il s'installe derrière le monstre mécanique. À l'aide d'une petite pioche, il essaie alors de casser un bout de cristal noir. Des étincelles virevoltent dans les airs. Le mystérieux étranger semble porter de drôles de lunettes qui lui donne un air un peu repoussant dans la pénombre, comme s'il avait des yeux globuleux de mouche ou de crocodile.

Sans se soucier de l'entourage, rapidement, il donne de petits coups répétés qui ne semblent donner aucun résultat. Continuant son investigation du cristal, il sautille à quatre pattes à côté du bulldozer. Il décide alors d'utiliser un petit couteau avec lequel il se coupe une veine de l'avant-bras. Tout à coup, un faisceau de lumière le frappe de plein fouet. Il panique, hurle comme un animal, virevolte sur place, puis se sauve. Mais Nick, Béatrice et Martin ont le temps de vraiment bien l'apercevoir. Ils n'en croient pas leurs yeux. Le mystérieux visiteur a la peau verte et laisse tomber son sang vert gluant sur le cristal qui bouillonne. Il se sauve non pas en courant, mais en rampant comme… comme un crocodile ? Pris de panique, il grimpe à quatre pattes sur un bloc de ciment, regarde dans tous les sens, essaie de fuir le faisceau lumineux qui le poursuit inlassablement. Nick, Martin et Béatrice n'arrivent à voir ce qui se passe que par intermittence, comme si la bête était devant un stroboscope.

— Qui est là ? crie l'homme qui tient la lampe de poche. Qu'est-ce que vous faites ici ?

La bête humaine, se sentant prise au piège, saute en bas du bloc et se sauve en courant. Poursuivie par la lumière de la lampe de poche, elle réussit à la déjouer en glissant hors du faisceau avec une vitesse et une dextérité toutes animales. Soudain, la lumière la surprend une dernière fois.

— Ah! s'exclame Béatrice, on dirait un lézard, ou un dinosaure, comme le petit Charlot à l'hôpital!

Puis, l'homme-lézard disparaît au milieu des cèdres et court rejoindre Rohman.

Un homme s'approche alors de l'endroit où le lézard a disparu et éclaire tout autour.

— C'est mon père, observe Nick.

Le policier, qui vient tout juste de sortir de sa tente, rejoint Monsieur Migacht.

— Qu'est-ce qui se passe ici, qui est là? demande le policier.

— C'est moi.

— Ah! Monsieur Migacht, s'exclame l'agent, rassuré.

— Monsieur Gauthier, vous avez vu? Il y avait quelqu'un qui rôdait!

— Oui, je ne sais pas qui c'était… juste là, j'ai vu passer… bizarre, c'était comme une bête, mais énorme, sur deux pattes… je pense que je ne dors pas assez!

— Je l'ai vu aussi, la bête s'est approchée de la plaque noire et elle frappait dessus.

— Oh! Oh! On m'a averti de ne laisser personne toucher à… à… à ça! Je vais appeler mon patron!

Aussitôt que son père et le gardien de sécurité se sont éloignés pour appeler du renfort, Nick, suivi de ses deux amis, descend en vitesse de l'arbre.

— Où vas-tu Nick ? lance Martin.

— Je veux voir ce qu'il a fait !

Nick se dirige vers les blocs de ciment. Martin et Béatrice le suivent en retrait, pas très rassurés au sujet de cette bête qui pourrait revenir à tout moment.

— Tu l'as vu s'éloigner ? demande Nick.

— Il zigzaguait comme une petite bête, reprend Martin en continuant à parler tout bas, …ça me donne des frissons.

— Oui, mais il faisait noir, précise Béatrice, je pense qu'on est un peu fatigué… on ne dort plus, on ne mange presque rien… je pense qu'on a eu une hallucination !

Béatrice et Martin s'approchent de Nick en regardant constamment autour d'eux, encore apeurés par ce qui pourrait se passer près de cette patinoire mystérieuse.

— Regardez, il s'est blessé en sautant des blocs de ciment… je crois qu'il saignait… oui, il y a du sang ici et… du sang vert.

Le sang coule d'un bloc de ciment vers le cristal. Chaque goutte de sang qui touche au cristal semble y creuser un petit trou.

— Wow, le sang du lézard, il creuse dans le cristal. Regardez !

Nick, de sa main froide, touche au trou fait dans le cristal et le trou se referme tranquillement. Quand tout le cristal est redevenu lisse et complet, toute la patinoire s'illumine d'un seul coup.

CHAPITRE 10

Deuxième éclair

Les appareils de détection de Bloomsberg captent alors des quantités astronomiques d'énergie émise. Maintenant il n'y a plus aucun doute, la localisation de la source d'énergie est claire. Toute son équipe se dirigera dès ce soir vers la province de Québec.

Rohman, lui, a juste le temps de voir un éclair lumineux sur ses écrans, puis tout son matériel vidéo tombe en panne devant la trop grande émission de lumière.

Mark Riley, l'homme-lézard, se traîne jusqu'au camion, tombe sans connaissance, puis meurt au bout de quelques secondes. Son cœur n'a pas supporté la transformation de son corps. Rohman quitte les lieux rapidement avec toute son équipe.

Nick le sait, grâce à sa main, il a gagné la première manche, les espions n'ont pas réussi à percer le mystère du cristal mais ce n'est que partie remise. Désormais il faudra tout faire pour protéger ce cristal et cette énergie extra-luminescente de l'assaut de ces étrangers.

— Allons voir Vladana, dit Nick, on retrouvera peut-être son secret grâce à son message. «**Utilise la flèche**», je pense que ça me donne une idée, venez.

Nick, Martin et Béatrice veulent à tout prix percer le mystère qui plane autour de Vladana. Comment y arriveront-ils ? C'est ce que l'on découvrira dans le prochain épisode de *Nick la main froide (épisode 4 : La boîte de cristal)*.

TABLE DES MATIÈRES

CONCOURS

« ÉCRIS TON PERSONNAGE »

Crée ton propre personnage qui pourrait
se retrouver dans l'épisode 13 de
Nick la main froide.

Détails du concours
www.nicklamainfroide.com